Walker Books a chéadfhoilsigh faoin teideal *Baby Brains*

An leagan Béarla
© Simon James 2004

An leagan Gaeilge
© Foras na Gaeilge 2004

ISBN 1-85791-549-6

Printset & Design Teo. a rinne scannán an chló

Arna chlóbhualadh san Iodáil

Le fáil tríd an bpost uathu seo:

An Siopa Leabhar,   *nó*   An Ceathrú Póilí,
6 Sráid Fhearchair,   Cultúrlann Mac Adam-Ó Fiaich,
Baile Átha Cliath 2.   216 Bóthar na bhFál,
ansiopaleabhar@eircom.net   Béal Feirste BT 12 6AH.
                                    leabhair@an4poili.com

Orduithe ó leabhardhíoltóirí chuig:
Áis,
31 Sráid na bhFíníní,
Baile Átha Cliath 2.
eolas@forasnagaeilge.ie

An Gúm, 24-27 Sráid Fhreidric Thuaidh, Baile Átha Cliath 1

Mící Meabhrach

Simon James

Uinsionn Ó Domhnaill a rinne an leagan Gaeilge

G An Gúm

Baile Átha Cliath

Sular rugadh
Micí Meabhrach
bhí a Mhamaí
an-ghnóthach.

Léigh sí scéal gach oíche don bhabaí istigh ina bolg.

Chuir sí cluasáin ar a bolg gach lá go gcluinfeadh an babaí ceol agus teangacha sular rugadh é.

Bhí Mamaí agus Daidí ag iarraidh babaí cliste a bheith acu.

Chuir siad air an teilifís gach oíche go gcluinfeadh sé an Nuacht.

Agus nach orthu a bhí an lúcháir
nuair a rugadh an babaí. Buachaill a bhí ann.
'Micí Meabhrach! Mo bhabaí breá,' arsa Daidí.

Thug siad chun an bhaile é agus chuir Mamaí ina luí
i gcliabhán é.
'Codladh sámh, a Mhicí Meabhrach,' ar sise leis an bhabaí.

Maidin an lá arna mhárach, bhí Mamaí ag teacht anuas an staighre leis an bhricfeasta a dhéanamh nuair a chuala sí glór ón seomra suí.

Cad é a chonaic Mamaí nuair a d'oscail sí an doras ach Micí Meabhrach ina shuí ar an tolg agus é ag léamh an pháipéir.

Níos moille sa lá chuidigh Micí le Daidí an carr a chóiriú.
'Tá gasúr cliste anseo againn gan dabht,' arsa Daidí.

An tráthnóna sin labhair Micí den chéad uair: 'Ba mhaith liom gabháil chun na scoile amárach,' ar seisean.

Chuaigh Micí Meabhrach ar scoil an lá arna mhárach.
Shuigh sé síos agus d'fhreagair sé gach ceist.
Bhí iontas ar na páistí eile.

Ag deireadh an lae thug an múinteoir buíochas do Mhicí as teacht chun na scoile. 'Níor fhoghlaim mé oiread riamh i lá amháin,' ar sise.

Ar an bhealach chun an bhaile dúirt Micí Meabhrach gur mhaith leis gabháil ar an ollscoil le bheith ina dhochtúir.

I gceann coicíse bhí Micí Meabhrach ag obair mar dhochtúir san ospidéal. Bhí meas mór ag gach duine air.

Ní raibh i bhfad go raibh a ainm i mbéal na ndaoine.

Oíche amháin
chuir eolaithe spáis
scairt ar an bhabaí
chliste.
'Ar mhaith leat
cuidiú linn, a Mhicí?'
ar siad.

An lá arna mhárach chuaigh Daidí, Mamaí
agus Micí Meabhrach
go dtí lárionad an spástaistil.
Chaith Micí an deireadh seachtaine ag ullmhú …

d'fhág sé slán ag Mamaí agus Daidí Dé Luain, agus d'imigh leis amach sa spás mar a bheadh an chaor thine ann.

Bhí an domhan mór ag coimhéad ar Mhicí Meabhrach agus é
amuigh sa spás ag siúl.
'Inis dúinn cad é a shíleann tú den spás,'
arsa fear as lárionad an spástaistil leis.

D'amharc Micí Meabhrach
suas ar an spéir mhór
agus ar na réaltaí os a chionn.

D'amharc sé síos
ar an spéir mhór
agus ar na réaltaí thíos faoi.

D'amharc sé thart agus thart
agus é ag monabhar
leis féin.

'Labhair amach, a Mhicí,' arsa na heolaithe.
'Ní chluinimid i gceart thú.'

'Tá mé ag iarraidh mo Mhamaí!'

a scread Micí Meabhrach.

'Tabhair ar ais é,' arsa Mamaí leis na heolaithe.
'Tabhair ar ais mo bhabaí láithreach!'

Thug siad Micí Meabhrach caol díreach chun an talaimh.
Bhí leathnáire air nuair a tháinig sé amach as an spáslong.

Rinne Mamaí rás isteach go bun an staighre
agus sciob ar shiúl a babaí.

'Ár mbabaí beag álainn,' arsa Mamaí agus phóg sí é.
'Ár mbabaí beag cróga,' arsa Daidí.
'An dtig linn gabháil chun an abhaile anois?' arsa Micí.

Thug Mamaí
folcadh dó
nuair a chuaigh siad
chun an bhaile.

Shásaigh sé sin é.

Chuir Daidí cigilt ann.
Chuir sin a gháire é.

Chealg Mamaí chun codlata é.
Ansin chuir siad ina luí ina chliabhán é.

Bhí lúcháir orthu a mbabaí beag a bheith ar ais sa bhaile.
'Ár mbabaí beag meabhrach féin,' arsa Mamaí.

D'fhan Micí Meabhrach sa bhaile ón lá sin amach,
agus bhí sé cosúil le gach aon bhabaí eile.
Ach amháin ag deireadh na seachtaine …

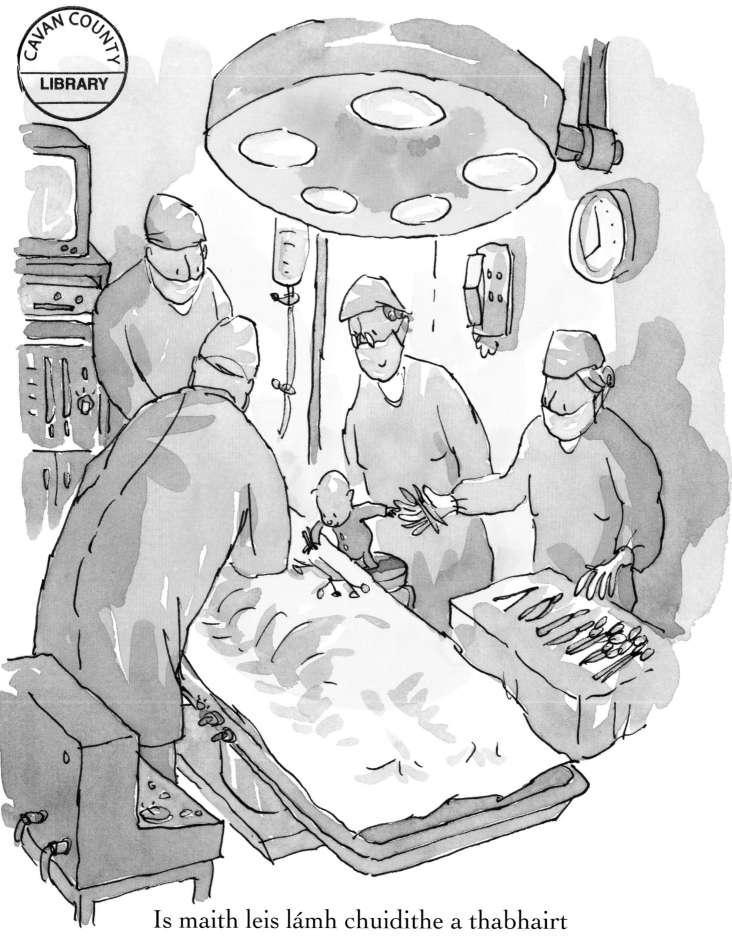

Is maith leis lámh chuidithe a thabhairt
do na dochtúirí san ospidéal ag deireadh na seachtaine.